voor mijn lieve vriend

rien

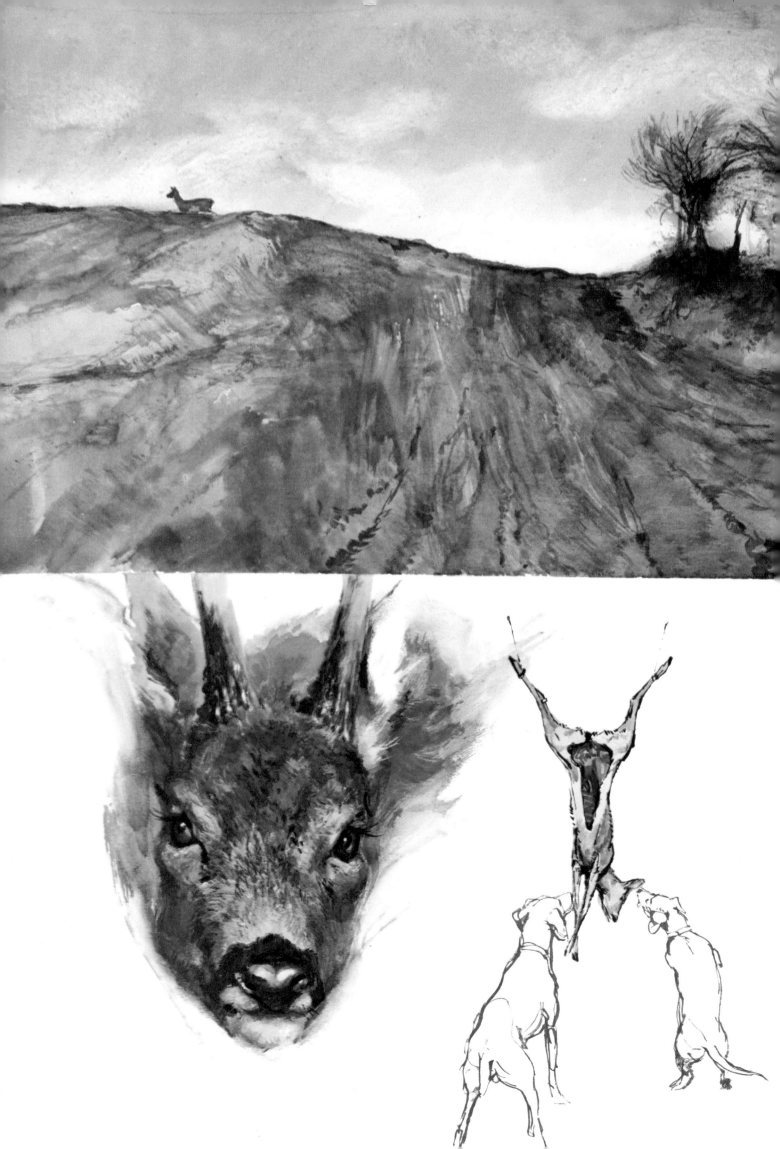

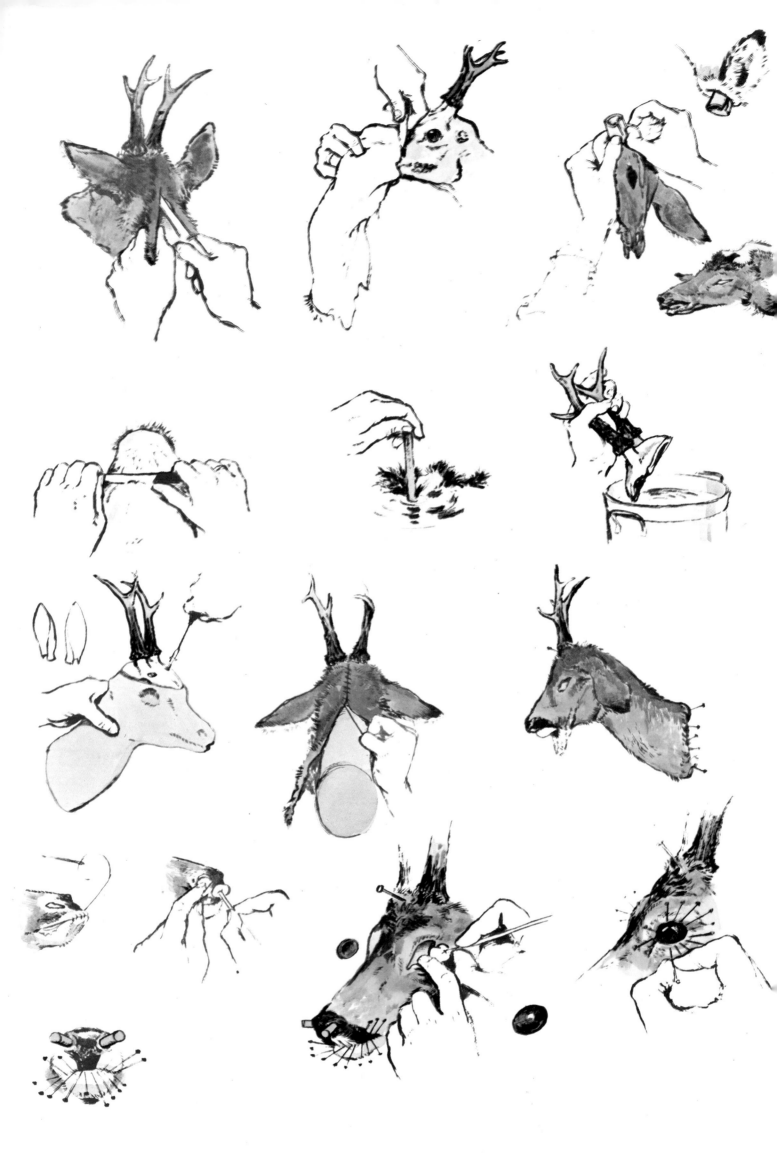

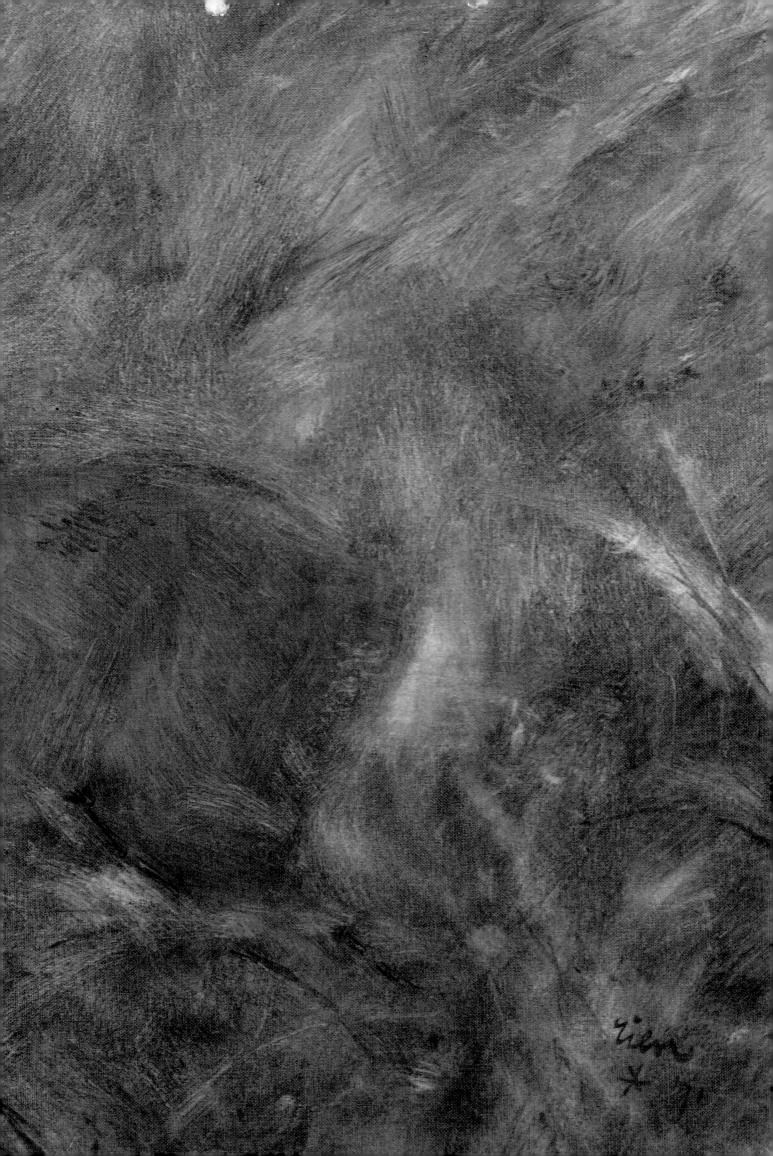

voor Corrie

die altijd een lekkere hap eten voor me heeft als ik op de gekste
tijden thuiskom; na de bokken aanzit, in de winternacht na het
aanzitten op de vos, na drijfjachten..

die, als ze iets uit de diepvries wil
pakken, dikwijls schrikt als ze weer
iets vreemds voelt – spullen die ik
er in stopte: geschoten gaaien, eksters
een patrijs, koppen van hazen en
reeën en wilde varkens die ik als
model denk te kunnen gebruiken...

die heus wel ziet dat er van de
hertekop in mijn atelier tientallen
luizen en andere rotbeestjes het huis
in tippelen.
die het dikwijls vele jagersbezoek laaft.

die mijn trofeeën geen stofnesten noemt
zoals zovele "mantelpakkies-wijven"
maar in ons van God gezegend huis
meer doet aan gezelligheid dan aan
vervelende properheid.
die er voor zorgt dat ik lekker kan werken!

èn voor Harm en Tok

Rien Poortvliet heeft in dit prachtige boek de liefde van de jager voor het wild op schitterende wijze gestalte gegeven.

De mens jaagt al sinds de oertijd. Vroeger deed hij dat om zich voedsel te verschaffen en om zijn leven en zijn bezittingen te beschermen. In onze tijd zijn deze factoren over het algemeen niet meer de drijfveer van de jager, zeker niet in de Westerse landen. Door de mens werd het evenwicht in de natuur helaas verstoord en de goede jager tracht door verantwoord jagen dit evenwicht weer enigszins te herstellen. Zijn liefde voor het dier staat daarbij voorop. Dat komt ook juist in dit boek zo duidelijk tot uiting: U zult weinig jachttaferelen zien, maar heel veel afbeeldingen van levende dieren in hun natuurlijke omgeving.

Ik geloof niet dat dit beter en mooier had kunnen worden gedaan dan hier door Rien Poortvliet. Ik ben ervan overtuigd dat U evenzeer als ik zult genieten van het hartverwarmende werk van deze grote kunstenaar.

De Prins der Nederlanden.

Paleis Soestdijk, december 1971.

TWEEDE DRUK

© 1972 Unieboek B.V. - Van Holkema & Warendorf, Bussum
Deze uitgave werd gedrukt door De Boer-Cuperus B.V. te Utrecht,
de fotolitho's werden vervaardigd door Fotolitho Drommel B.V. te Zandvoort
en het bindwerk werd verzorgd door Binderij C.H.F. Wöhrmann & Zn., Zutphen.

Layout: Jan Bouman

ISBN 90 269 2006 7

JACHTTEKENINGEN
van
Rien Poortvliet

VAN HOLKEMA & WARENDORF · BUSSUM

JACHTTEKENINGEN